一天傍晚，天天开心地在空中旋转、爬升、俯冲，因为她的偶像——特技飞行员爱丝将要来冒险湾参加一场特技飞行表演。

"特技飞行感觉太棒啦！"她兴奋得大喊道。

可是，在草地上玩耍的毛毛却并不这么认为，能飞的东西中他只爱风筝。

突然，一阵狂风吹来，把毛毛和风筝一起刮上了天空。毛毛被风筝线给缠住了，只见他摔向地面，正好砸在了灰灰的身上。

毛毛咧嘴一笑："对不起！我想我的着陆技术还有待提高！"

这时，莱德的平板电脑接到了一通求助电话——来自特技飞行员爱丝。爱丝的飞机引擎出现了故障，急需汪汪队来帮她找到一个合适的着陆点。

莱德大声说："汪汪队马上到！没有困难的工作，只有勇敢的狗狗！"

　　莱德迅速召集狗狗们来到塔台，把情况告诉了大家，他需要用
到天天的直升机和夜视风镜。

　　"狗狗要飞上天啦！"天天叫道，她迫切地想去帮助她的英雄。

nickelodeon

PAW PATROL

汪汪队立大功儿童安全救援故事书

空中大冒险

美国尼克儿童频道 / 著

安东尼 / 译

天 地 出 版 社 | TIANDI PRESS

莱德还需要阿奇用聚光灯和交通锥在农夫由美的农场中准备出一条跑道。

"保证完成任务！"英姿飒爽的德国牧羊犬热切地喊道。

最后，莱德让灰灰来负责修理爱丝的飞机。

"旧物别丢掉，还有大用处！我一定能修好飞机！"灰灰欢呼着。

　　伴随着直升机穿越云层的轰鸣声，太阳渐渐落下去了。天天通过她的夜视风镜在夜空中仔细地搜寻着，终于发现了在不远处的爱丝。

　　爱丝的飞机正在飞越山峰，飞机上不时有碎片掉落在树梢上。引擎冒出的黑烟越来越浓，这严重影响了爱丝的视线。

　　天天加速飞到了爱丝飞机的前方。"跟上我！"她喊道，随即带领爱丝一同飞向了农夫由美的农场。

这时，莱德、阿奇和灰灰正在农场准备飞机的备降跑道。
阿奇用他的橘色交通锥摆出了一块跑道区域。

"干得漂亮！"莱德称赞道。

天越来越黑了，莱德问灰灰能否从他的回收库中找出一些旧探照灯来。

"我刚好有一捆！"灰灰答道，然后他迅速取来探照灯，和莱德一起把这些灯与锥筒绑在了一起。

当他们准备完毕后，莱德呼叫天天，告诉她注意查看跑道上的灯筒。

"收到指令！"天天回答。

天天驾驶着直升机穿行在星空下，她刚翻过小山就看到了那条醒目的光束带。她和爱丝准备降落的时候，突然听到一声巨响。爱丝的飞机开始剧烈摇晃，机翼上不时有火花冒出。爱丝通过无线电告诉大家，她必须马上跳伞。

莱德认为在黑夜中跳伞太危险了，于是他想到了另一个办法。"爱丝，你曾经做过机翼上行走的特技吗？"他问道。

"爱丝可是世界上最好的机翼漫步者呢！"天天说道。

"太好了！"莱德欢呼起来。他命令天天降下牵引绳和安全带。

爱丝解开座椅上的安全带，小心翼翼地从驾驶舱爬上了不停晃动着的机翼。天天从上方降下牵引绳和安全带，慢慢地向爱丝靠近。爱丝试图抓住安全带，可是扑了空！

"我还是用降落伞吧！"爱丝有些着急，"我准备跳了！"

天天叫道："不！我们一定能做到的，爱丝！"

　　天天把直升机降得更低、更靠近爱丝了。爱丝再次做了尝试，这一次她终于抓住了安全带！爱丝扣紧安全带，双手抓牢牵引绳，一直往农夫由美的农场飞去。

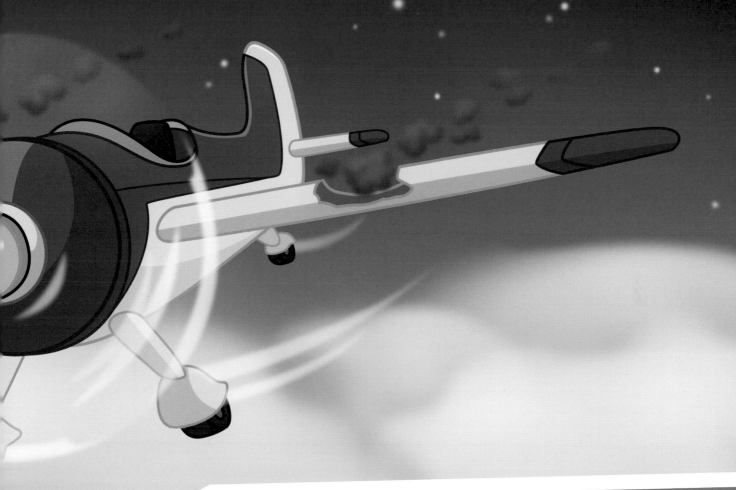

　　当天天抵达农场的时候，爱丝通过无线电呼叫莱德，希望他帮忙追踪到"艾美利亚"。

　　"没问题！但是，谁是艾美利亚？"莱德问。

　　"我的飞机呀！每个特技飞行员都会给自己的飞机起个名字。"爱丝答道。

　　莱德立即用平板电脑追踪飞机，发现它正往海湾水域坠去。

　　"我们必须在它坠入海里之前找到它！"莱德说。

莱德和阿奇迅速赶往海湾，天天则缓缓地把爱丝降落到农场上。爱丝解开安全带，朝着直升机挥舞双手。"谢谢你，天天！"她喊道。

"别客气，爱丝！"天天回答道。她兴奋地对自己说："真不敢相信，我竟然救了自己心目中的大英雄！"

"砰！"艾美利亚掉了下来，它在海面上滑行了一段距离后终于停了下来。莱德驾驶着他的沙滩车飞速驶向飞机，并快速用一根缆绳拴住了艾美利亚。接着，阿奇开着他的警车使劲儿把飞机往岸边拽。

但是，当爱丝看到自己的飞机时，她已经对参加特技飞行表演不抱任何希望了——飞机已经严重损坏，只有专业团队才能修好它。

不过，不是还有汪汪队吗？

"随时待命！"灰灰说。

借着阿奇的聚光灯的光亮，灰灰用铆钉修补飞机的机翼。莱德在修理驾驶座椅，爱丝则在调试引擎。不一会儿，天天试着启动飞机，只见螺旋桨开始旋转起来，引擎也发出了嗡嗡声，飞机又跟新的一样了！

"我已经等不及要观看明天的特技飞行表演了。"天天兴奋地说。

爱丝跳上一侧的机翼，说："你想近距离观看我的花式机翼行走加翻滚表演吗？"

天天觉得这太不可思议了！

　　第二天，阳光明媚，汪汪队的队员们很早就来到了冒险湾的沙滩上，迫不及待地想要观看爱丝的特技飞行表演。当艾美利亚出现在天空时，狗狗们都挥舞着双手大声地欢呼起来。在飞机的机身变得平稳后，爱丝从驾驶舱里爬出，然后站在了机翼上。此时，天天正微笑着坐在操控台后面呢。

　　突然，爱丝跳向了空中，而天天则驾驶着飞机翻滚了一圈。
当机身再次回正时，爱丝平稳地落在了机翼上。莱德和狗狗们
都惊呆了，这一切对他们来说简直太不可思议了，这个花式机
翼行走加翻滚表演真是让人惊叹不已啊！

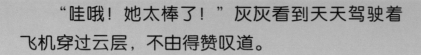

"哇哦！她太棒了！"灰灰看到天天驾驶着飞机穿过云层，不由得赞叹道。

"你们都很棒！"莱德说。

狗狗们都欢呼起来。爱丝和天天则在空中俯冲拉升，好像是在和他们一起庆祝呢。

汪汪队救援行动指南

空中救援行动指南

小朋友，你还记得聪明勇敢的汪汪队今天完成了什么任务吗？他们是怎么做的呢？我们一起来看今天的行动指南吧！

发现问题

爱丝飞机的引擎出现故障。

我有办法

引导爱丝安全着陆

领航，并抛下安全绳索。

用交通锥划出跑道。

用探照灯为降落照明。

抢修飞机"艾美利亚"

将飞机拖上岸。

用铆钉修补机翼。

修理驾驶座椅。

成功啦

爱丝和她的飞机都获救了，她成功地完成了特技飞行表演！

汪汪队功劳榜

这次行动中，狗狗们的表现都很棒，请你把狗狗和他们完成的任务用线连起来！

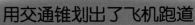 用交通锥划出了飞机跑道

带领爱丝飞向农场

用铆钉修补机翼

用警车将飞机拖上海岸

快乐排序

小朋友，你还记得这个故事都说了什么吗？下面就请你按故事发生的先后把正确的排列顺序填到括号里吧！

(   ) → (   ) → (   ) → (   )

快乐迷宫

天天需要通过一个水晶迷宫找到一座城堡，下图是迷宫的示意图，你能帮她找出正确的路线吗？

起点

终点

CHASE

RUBBLE

MARSHALL

SKYE

ROCKY

ZUMA

快乐涂色

下图是两只可爱的狗狗。小朋友，快拿起你手中的画笔，为它们涂上美丽的色彩吧！

图书在版编目（CIP）数据

汪汪队立大功儿童安全救援故事书. 空中大冒险 /
美国尼克儿童频道著；安东尼译. — 成都：天地出版
社, 2017.3
ISBN 978-7-5455-2364-5

Ⅰ.①汪… Ⅱ.①美… ②安… Ⅲ.①儿童故事 – 图
画故事 – 美国 – 现代 Ⅳ.①I712.85

中国版本图书馆CIP数据核字(2016)第283519号

出品策划：文轩出品

网　　址：http://www.huaxiabooks.com

著作权登记号 图字：21–2017–04–13号

空中大冒险

出品人	杨　政	总 经 销	新华文轩出版传媒股份有限公司
策划编辑	李红珍　戴迪玲	印　　刷	北京瑞禾彩色印刷有限公司
责任编辑	陈文龙　夏　杰	开　　本	889×1194　1/20
特邀编辑	张　剑	印　　张	1.6
版权编辑	郭　淼	字　　数	10 千字
装帧设计	谭启平	版　　次	2017 年 3 月第 1 版
责任印制	董建臣	印　　次	2017 年 6 月第 3 次印刷
出版发行	天地出版社	书　　号	ISBN 978-7-5455-2364-5
	（成都市槐树街 2 号　邮政编码：610014）	定　　价	12.80 元
网　　址	http://www.tiandiph.com		